奇妙的科学

昆虫的世界

孙静编/吴飞绘

长江出版社

图书在版编目 (CIP) 数据

昆虫的世界 / 孙静编；吴飞绘 . — 武汉：长江出版社，2015.1
（奇妙的科学）
ISBN 978-7-5492-3131-7

Ⅰ . ①昆… Ⅱ . ①孙… ②吴… Ⅲ . ①昆虫—儿童读物 Ⅳ . ① Q96-49

中国版本图书馆 CIP 数据核字（2015）第 033275 号

奇妙的科学·昆虫的世界

QI MIAO DE KE XUE KUN CHONG DE SHI JIE

昆虫的世界　　　　　　　　　　　　　　　　孙静 编/吴飞 绘

责任编辑：高　伟
装帧设计：新奇遇文化
出版发行：长江出版社
地　　址：武汉市解放大道1863号　　　　　邮　编：430010
E-mail：cjpub@vip.sina.com
电　　话：（027）82927763（总编室）
　　　　　（027）82926806（市场营销部）
经　　销：全国各地新华书店
印　　刷：武汉鑫佳捷印务有限公司
规　　格：787mm×1092mm　　　　1/16　　　2 印张
版　　次：2015年1月第1版　　　　2015年3月第1次印刷
ISBN 978-7-5492-3131-7
定　　价：12.80元

献给孩子的《奇妙的科学》

你是一个热爱科学的孩子吗？你梦想过成为一名科学家吗？

你了解我们的国宝大熊猫吗？你知道沙漠里生活着什么动物吗？你想过去海底世界畅游吗？

如果你立志成为一个热爱科学的人，那么从今天开始，来了解我们身边的世界，探索大自然的奥秘吧。

我们为热爱科学的孩子创作了这样一套《奇妙的科学》绘本。在这里，你可以触摸到可爱的动物、神奇的植物，还有好多神秘而又有趣的知识呢；在这里，你可以读到很多精彩的故事，可以欣赏到美丽而精致的画面。

更重要的是，这里的故事蕴藏着宝贵的科学道理。书中有"成长笔记"和"延伸阅读"两个小栏目，它们会像指路明灯一样指引着我们，走近科学，爱上科学。

好吧，让我们一起翻开书，一起走进知识的海洋吧！

"嗡嗡嗡"，一棵大树上倒挂着一个漂亮的蜂巢，里面住着一群幸福又快乐的蜜蜂。

今天是蜂王莉莉和雄蜂亮亮结婚的日子，蜂巢里热闹极了，负责蜂巢所有工作的工蜂也都忙得不亦乐乎。

○ **成长笔记**

蜜蜂喜欢过群居生活，通常一个蜂群由一只蜂王、少量雄蜂和许多工蜂组成。

一转眼，莉莉就要生小宝宝了。在工蜂们无微不至的照顾下，她顺利地生下了约 3000 个小宝宝，这些小宝宝都健康地长大了。

6

蜜蜜是个非常喜欢问问题的蜂宝宝。一天，他看到一只工蜂在蜂巢外兴奋地跳着圆圈舞，便问："阿姨，您为什么跳舞呀？"

工蜂笑眯眯地说："我是在告诉大家附近有蜜源呢。"

○成长笔记

工蜂是一种不能生宝宝的雌性蜜蜂，它们的寿命比雄蜂长，但一般也只有几个月。

9

"噢，"蜜蜜摸了摸脑袋，又问，"可是如果蜜源很远，您还跳这样的舞吗？"

"当然不是，那时我就会跳'8'字舞了。"工蜂一边跳着舞一边回答蜜蜜的问题。

看到大家都在忙，蜜蜜也不想闲着，于是在蜂王的同意下开始了他的第一次户外旅行。

飞呀飞呀，蜜蜜在池塘边发现一只雌蜻蜓正用尾巴在水里一点一点的，水面上还泛着涟漪。

"哇，好有趣的蜻蜓点水！"蜜蜜兴奋地说。

"我可不是在点水，而是在生小宝宝呢。我们的宝宝都是生活在水里的，等他们长大后，就可以像我一样飞起来了。"雌蜻蜓说。

成长笔记

蜻蜓的一生要经过卵、稚虫和成虫三个阶段，在由稚虫蜕变为成虫的过程中，不需要结蛹。

15

　　"那他们要多久才能飞呢？到时我可以和他们做朋友吗？"蜜蜜迫
不及待地问。

　　雌蜻蜓笑了笑，说："当然可以啊，只是他们还要两年左右才能飞，
到时你就是他们的大哥哥了。"

"太好了，我要当大哥哥了。"告别雌蜻蜓后，蜜蜜就向池塘附近的花丛飞去了。

　　刚靠近花丛，蜜蜜就听到里面传来一阵悦耳的歌声，探头一看，原来是一只雄蝈蝈发出来的。

"蝈蝈大哥，你的歌声真好听。"蜜蜜情不自禁地赞美道。

"嘘，那可不是我的歌声，而是我的翅膀摩擦发出来的声音哟！这是为了要吸引我心爱的姑娘呢！"雄蝈蝈很小声地说。

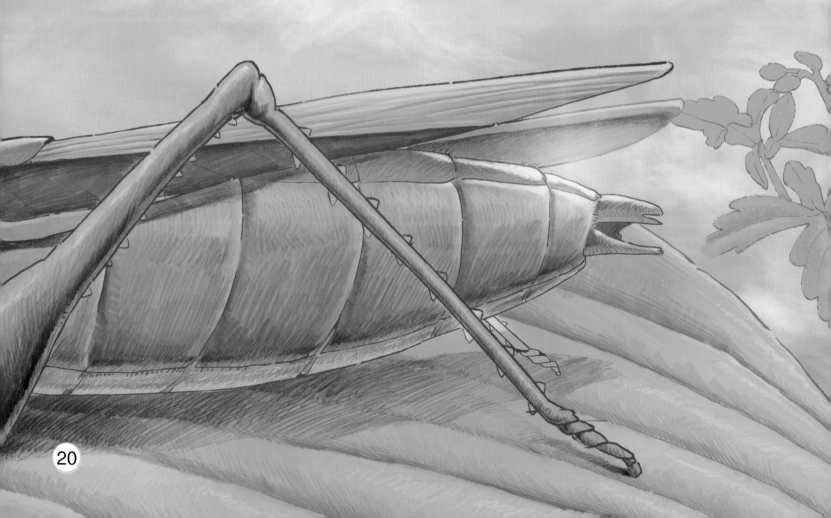

没过多久，果然有一只雌蝈蝈跳了出来，恰好落在雄蝈蝈身边，"她一定就是那个心爱的姑娘吧！"蜜蜜一边扑扇翅膀，一边喃喃自语。

不知不觉，天快黑了，蜜蜜这才想起来要赶紧回家。

他一个劲儿地往家飞，突然看到身旁有零星的闪光，便感叹道："这难道是天上掉下来的星星吗，怎么也一闪一闪的呀？"

"哈哈，我们不是星星，你没看出我们是萤火虫吗？我们会闪光是因为体内有专门的发光细胞。"一只萤火虫说，"你一定是急着回家吧，天这么黑，我们送送你吧。"

一路上，蜜蜜又听了很多关于萤火虫的故事。

成长笔记

萤火虫是通过"灯语"来交流信息的，同一种萤火虫之间还能用这种"灯语"联络，结成配偶。

蝴蝶 是怎么 传授花粉的？

蝴蝶传播花粉并不是有意识进行的，它们飞到花朵上面其实是为了吸食花蜜，而恰好花朵上的花粉会沾到身上。当蝴蝶再去吸食其他花朵的花蜜时，沾到身上的花粉会掉到其他花朵上，这样就被动地传播花粉了。

屎壳郎 为什么 喜欢滚粪球？

屎壳郎滚粪球是为了繁殖后代。别看粪便臭不可闻，对于屎壳郎的宝宝来说，可是维持生命必不可少的食物。宝宝还没有出生，妈妈就为它们准备了丰盛的食物。一堆大象的粪便，就能够养活约7000只屎壳郎呢。

《奇妙的科学》绘本的四大特色

★ 这是一套专门为 3~9 岁小朋友编写的优秀科普读物。

★ 选取的都是小朋友最感兴趣的主题，包含了动物、植物、天文、地理等多个领域。

★ 语言生动活泼，再配以精致的插图，使全套书达到故事与科学的完美结合。

★ 书中精心设计了"成长笔记"和"延伸阅读"两个小栏目，有助于激发小朋友探索科学的兴趣。